C29 0000 1217 701

D0810106

GEIRIAU DIFYR A DOETH

Llyfrgelloedd Sir Y Fflint
Flintshire Libraries
7701

SYS

JW398.99166   £5.00

BR

Geiriau
Difyr a Doeth

o

Bedwar Ban Byd

D. Geraint Lewis

Gwasg Carreg Gwalch

Cydnabyddiaeth lluniau

Dymuna'r cyhoeddwyr gydnabod eu dyled i'r gweisg a ganlyn wrth atgynhyrchu cloriau:

Gwasg Gwynedd (*Bywyd Bach*, Gwyn Thomas)
Gwasg Gomer (*Cerddi Dic yr Hendre*, Dic Jones)

i DigiDo, Llyfrgell Genedlaethol Cymru, casgliad Geoff Charles (llun Gerallt Lloyd Owen)

 BBC Cymru (llun Saunders Lewis)

i Wikimedia Commons am weddill y lluniau.

Argraffiad cyntaf: 2019

(ħ) testun: D. Geraint Lewis 2019

Cedwir pob hawl.
Ni chaniateir atgynhyrchu unrhyw ran o'r cyhoeddiad hwn,
na'i gadw mewn cyfundrefn adferadwy, na'i drosglwyddo
mewn unrhyw ddull na thrwy unrhyw gyfrwng, electronig, electrostatig,
tâp magnetig, mecanyddol, ffotogopïo, recordio, nac fel arall,
heb ganiatâd ymlaen llaw gan y cyhoeddwyr, Gwasg Carreg Gwalch,
12 Iard yr Orsaf, Llanrwst, Dyffryn Conwy, Cymru LL26 0EH.

Rhif Llyfr Safonol Rhyngwladol:
978-1-84527-689-8

Cyhoeddwyd gyda chymorth Cyngor Llyfrau Cymru

Cyhoeddwyd gan Wasg Carreg Gwalch,
12 Iard yr Orsaf, Llanrwst, Dyffryn Conwy, Cymru LL26 0EH.
Ffôn: 01492 642031
e-bost: llyfrau@carreg-gwalch.cymru
lle ar y we: www.carreg-gwalch.cymru

Argraffwyd a chyhoeddwyd yng Nghymru

Cyflwynedig i'r Beirdd

Urdd o ofaint aur yr iaith,
y mae eu gwaith yn warant o'i gwerth.

CYNNWYS

Rhagymadrodd		8
Diolchiadau		10
1.	Dim yw Dim	12
2.	Meddwl	15
3.	Dechrau a Datblygu	19
4.	Perffaith ac Amherffaith	23
5.	Doethineb a Gwybodaeth	27
6.	Byw Bywyd	34
7.	Profiad	38
8.	Amser	46
9.	Gweithredu	51
10.	Myfi Fy Hun	54
11.	Dedwyddwch	60
12.	Cyfoeth	63
13.	Awen	66
14.	Bai	71
15.	Ffydd	73
16.	Cariad	77
17.	Diwedd	80
Mynegai testunol		84

Rhagymadrodd

Plant y gwirionedd yw hen ddiarhebion
Dihareb, adnod y werin, – ei swyn
Yw synnwyr cyffredin

Mae traddodiad hir a pharchus i'r arfer o gasglu diarhebion yn Gymraeg. Un o'r casgliadau cynnar oedd hwnnw o eiddo'r bardd Gruffydd Hiraethog a ddefnyddiwyd gan William Salesbury a Dr John Davies Mallwyd yn eu geiriaduron yn yr 16eg ganrif.

Yr oedd diarhebion yn rhan o *Dri Chof Ynys Prydain* y disgwylid i'r beirdd Cymraeg eu diogelu. Yr oedd iaith y diarhebion yn hynafol a'u doethineb yn ymestyn yn ôl i gyfnodau cynharaf yr iaith a chyn hynny efallai. Yr oeddynt yn rhan o arfaeth y beirdd wrth lunio'u canu i'w noddwyr a fyddai'n eu parchu fel olion oedd yn eu cysylltu ag oes y tywysogion a'r breniniaethau.

Mae'r traddodiad barddol yma yn para heddiw ac un o'r pethau a gesglir yma yw hen 'adnodau'r werin' wedi'u gwisgo mewn iaith a chynghanedd cyfoes gan feirdd heddiw. Er mai dyma sydd wedi digwydd i'r ymadroddion mwyaf adnabyddus erys llawer iawn o rai tywyll eu hystyr yn seiliedig ar iaith ac arferion sy'n ddarfodedig erbyn hyn. Fe'i gwelir yn y diarhebion yn cofnodi hen nodweddion ac arferion gwerin cymunedau gwledig ac amaethyddol.

Dechreuais edrych ar ddiarhebion o wledydd eraill y byd oedd wedi cael eu cyfieithu i'r Saesneg, yn enwedig y rhai oedd yn ymgorffori'r 'synnwyr cyffredin' hwnnw sydd mewn gwirionedd yn anghyffredin o gofiadwy – *dim ond ffŵl sy'n mesur dyfnder pwll gyda'i ddwy droed!*

Er mai un o brif nodweddion dihareb yw ei henaint, rhaid eu bod, bob un, wedi eu llunio rywbryd, ac felly cwestiwn arall a gododd oedd a oes 'darpar' ddiarhebion yn cael eu llunio heddiw?

Yr hyn a geir yn y casgliad hwn yw diarhebion o wledydd a diwylliannau o gwmpas y byd, hen ddiarhebion Cymraeg mewn gwisg newydd a gwirebau nad ydynt eto wedi'u llathru â pharchusrwydd henaint ond efallai a ddaw felly yn y dyfodol. Ac os felly, efallai y cofiwch mai fan hyn y gwelsoch chi nhw gyntaf!!

D. Geraint Lewis
Llangwrddon
Gwanwyn 2019

DIOLCHIADAU

I Delyth fy ngwraig am welliannau lu i'm hymdrechion i, ac i Wasg Carreg Gwalch am y cyd-weithio rhwydd a hapus, gan gydnabod mai fy eiddo i yw unrhyw nam a erys.

1. DIM YW DIM

Llun: Yin a Yang

1.1   Ceir blas ar beth; does dim blas ar ddim

1.2   Gwell yw anelu at rywbeth a'i fethu nag anelu at ddim a'i daro

1.3   Nid diogi ymdrechu a methu

1.4   Gellir maddau i rywun sy'n mentro ac yn methu ond methiant llwyr yw rhywun nad yw byth yn mentro na byth yn methu

Paul Tillich

1.5   Mae cost gwneud dim yn llawer mwy na chost gwneud
       camsyniad

Meister Eckhart

1.6   Ceir llawer cam gwag trwy sefyll yn llonydd

1.7   Does dim gwahaniaeth rhwng dyn sy'n pallu darllen a
       dyn sy'n methu darllen

1.8   Mae cadw'n ddistaw'n rhoi caniatâd

1.9   Dim ond pysgod marw sy'n symud gyda'r llif

1.10   Haws cau llygaid na chau ceg

1.11   Lle bydd bwlch, bydd pawb yn cerdded drwyddo

China

1.12   Nac ofnwch dyfu'n araf, ofnwch sefyll yn llonydd

1.13   Mae meddwl caeedig fel llyfr caeedig, nid yw ond pentwr
       o bapur

1.14   Pentwr o bapur yw llyfr heb ei agor

Ond

1.15   Ni bydd beiddgar un noeth mewn ysgall

1.16   Y gneuen wag sydd galetaf

2. MEDDWL

Llun: Buddha

2.1 Y meddwl yw popeth. Yr hyn rwyt ti'n ei feddwl yw'r hyn y byddi.

Buddha

2.2 Breuddwyd gwrach yw gweledigaeth heb weithredu; hunllef yw gweithredu heb weledigaeth

2.3 Anwybodus yw'r dyn sy'n gwybod popeth

2.4 Nid wrth ei glawr y mae adnabod llyfr

2.5 Mae unrhyw un sy'n meddwl ei fod yn arwain heb fod neb yn ei ddilyn nid yw ond yn mynd am dro

2.6   Gwell cadw dy geg ar gau a gadael i bobl feddwl dy fod yn dwp na'i agor a gwaredu unrhyw amheuaeth

Mark Twain

2.7   Os wyt ti'n cyd-fynd â'r mwyafrif mae'n bryd oedi ac ystyried

Mark Twain

2.8   Rydd briwsion atgofion gau
O hyd fwyd i ofidiau

John Penry Jones

2.9   Call pob ffôl yn ei olwg ei hun

Jiddu Krishnamurti

2.10 Mae meddyliwr cyson yn ddifeddwl, mae'n glynu wrth batrwm, mae'n ailadroddus ac yn meddwl mewn rhigol

2.11 Rhaid peidio disgwyl ateb wrth ystyried problem. O ddirnad beth yw'r broblem, fe ddaw'r ateb oherwydd mae'r ateb yn rhan o'r broblem

2.12 Arsylwi heb arfarnu yw deallusrwydd pur

2.13 Yr ydym ond yn ofni'r pethau yr ydym yn meddwl ein bod yn eu gwybod.

2.14   Y mae Rheswm wedi 'nallu
Rhag im weld yr hyn sy'n glir,
Y mae Gwybod wedi 'nhwyllo
Rhag im gredu'r hyn sy'n wir

Dic Jones

2.15   Weithiau daw syniadau . . .
Fel defaid ar escalators tanddaearol yn fy mhen

Ifor ap Glyn

Rabindranath Tagore

2.16   Mae meddwl rhesymegol fel llafn heb ddolen, mae'n tynnu gwaed o'r llaw sy'n ei ddefnyddio

2.17   I'r rhan fwyaf ohonom mae ein meddwl yn ddrych sy'n adlewyrchu, mwy neu lai yn gywir, y byd y tu allan i ni. Nid ydym yn sylweddoli mai'r meddwl ei hun sy'n creu'r darlun o'r byd.

2.18   Synnwyr cyffredin yw swm y rhagfarnau a gasglwn erbyn deunaw oed.

Albert Einstein

2.19   Moeseg beth yw?
Da yw cadw a hybu bywyd,
Drwg yw difa neu niweidio bywyd.

Albert Schweizer

2.20 Mae pob cwestiwn gwyddonol sy'n dechrau gyda 'Pam?'
yn gorffen gyda'r ateb 'Dydw i ddim yn gwybod'

Brian Cox

2.21 Ar ddiwedd y mae barnu

2.22 Prawf sydd ei angen nid dadl

2.23 Ym mhob pen mae piniwn

Siôn Brwynog

2.24 Rhywun dwl sy'n barnu dyn
Heb weled ond ei bilyn

Sarnicol

3. DECHRAU A DATBLYGU

Llun: Gwyn Thomas

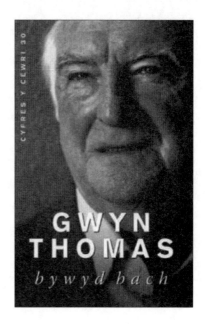

3.1 Byw fel marw yfory, Dysgwch fel byw byth

3.2 Mae taith mil o filltiroedd yn cychwyn ag un cam

China

3.3 Cam dros y trothwy, hanner y daith

3.4 Fesul cam mae mynd yn bell

Periw

3.5 Yn ddibryder mae teithio'n bell

Rwsia

3.6 Gwell teithio mewn gobaith na chyrraedd mewn anobaith

Eidal

3.7 I'r sawl a deithio mewn cariad nid mwy mil filltir nag un

Eidal

3.8 Os am deithio'n gyflym ewch wrth eich hun
os am deithio'n bell ewch yn gwmni

Affrica

3.9 Dalen lân y mae pawb yn gadel ei farc arno yw bywyd plentyn

China

3.10 Unioner coeden pan fydd yn ifanc

Affrica

3.11 Wrth gropian mae plentyn yn dysgu sefyll

3.12 Paid edrych lle y cwympaist ond lle y llithraist

3.13 Syrthiwch seithwaith: codwch wyth

Siapan

3.14 Nid ar redeg mae aredig

3.15   Agor yn igam-ogam
        A bydd pob cwys yn gŵys gam.

Dic Jones

3.16   Amlaf ei gŵys, amlaf ei ysgub

3.17   Ffôl sy'n crwydro, mae'r doeth yn teithio

3.18   Buan y denir annoeth,
        Yn ara' deg y daw'r doeth.

T. Llew Jones

3.19   Araf deg a mesul dipyn mae stwffio bys i din gwybedyn

3.20   Na fyddwch nac yn orhyderus nac yn orofnus

3.21   Doeth sy'n newid ei farn, ffôl sy'n ei gadw'n gadarn

3.22   Trallod a ddaw â dysg yn ei law

3.23   Y ffordd i ffindio ffordd yw gwybod ble ti'n mynd

3.24   Gweddw pwyll heb amynedd

3.25   Nid gorau pwyll pwyllgorau

T Gwynn Jones

3.26 A thrysor yw cyngor call,
Rhan o aur rhywun arall

John Lloyd Jones

3.27 Nid gorau cyngor cynghorau

3.28 Dwy iaith ac y mae un yn haul i mi, a'r llall yn lleuad . . .
Heb ddau oleuni pa synnwyr fydd yn y tywyllwch?

Gwyneth Lewis

3.29 Safon neb ni saif yn hir,
A ragoro a gurir.

Dic Jones

3.30 Y plentyn i'r dyn sy'n dad.

Elfed

3.31 Mae ffordd sy'n mynd i bobman
Heb fynd i unman chwaith

Dic Jones

3.32 Y peth pwysicaf y gallwn ni, fel rhieni,
Ei draddodi i'n hiliogaeth ni ydi
Y gallu i wneud hebom ni

Gwyn Thomas

4. PERFFAITH AC AMHERFFAITH

Llun: Mahatma Gandhi

4.1 Gwell gem â nam na charreg berffaith

China

4.2 Mae dynion bach yn meddwl eu bod yn fach,
nid yw dynion mawr yn gwybod eu bod yn fawr

China

4.3 Mae methiant yn well athro na llwyddiant

4.4 Diddim yw anrhydeddau;
Nid yw bri yn ddim ond brau.

Donald Evans

4.5 Gwell annysg gwâr na dysg anwar

4.6 Cofleidiwch yr anwybod, ewch ag o tu allan ar y stryd fel cyllell wen i dorri drwy hualau'r ofnau sydd yn cadw pawb yn saff rhag bod yn rhydd

Hywel Griffith

4.7 Gwell cerydd cyfaill na gwên gelyn

4.8 Paid â gofyn 'Be sy'n bod?' – erbyn hyn
Does fawr neb yn gwybod

Dic Jones

4.9 Bach pob dyn sy'n tybio'i hun yn fawr

4.10 Y mae cau'r drws ar bob camgymeriad yn cau'r drws ar bob gwirionedd

Rabindranath Tagore

4.11 Nid rhyddid rhyddid nad yw'n derbyn camgymeriad

Mahatma Gandhi

4.12 Yn nhywyllwch tristwch y mae canfod goleuni

Meister Eckhart

4.13 Os wyt ti'n teithio ar y trên anghywir, does dim pwynt rhedeg hyd y coridor i'r cyfeiriad arall

Dietrich Bonhoeffer

4.14   Gwell tlawd bach fo'n iach a noeth
        Nag afiach mewn siôl gyfoeth

Idwal Lloyd

4.15   Os brau yw edau'r brodwaith
        Ofer yw gwychder y gwaith

Alan Llwyd

4.16   Gwell bachgen call na brenin ffôl

4.17   Y dyn doeth ydyw'r dyn sy'n gweld ei gamgymeriad cyn
        ei wneud

Kate Roberts

4.18   Credu na wneir un arall
        Yw'r olaf a'r gwaethaf gwall

Dic Jones

4.19   A glywo dwyll, gwylied o,
        Drwg celwydd ydyw'r coelio

Dic Jones

4.20   Nes na'r hanesydd at y gwir di-goll
        Ydyw'r dramodydd, sydd yn gelwydd oll

R. Williams Parry

4.21   Ni ddaw chwaith, lle na ddaw chwyn
       Unrhyw raen ar ei ronyn

Dic Jones

4.22   Ni cheir y melys heb y chwerw

4.23   Gwell clwt na thwll

4.24   Gwell plygu fel cawnen na chwympo fel derwen

4.25   Gwell bod dipyn o gnaf na gormod o ffŵl

4.26   Fe ddaw llwydd o wall i wall
       Yn y diwedd â deall

Dic Jones

5. DOETHINEB A GWYBODAETH

Llun: Rabindranath Tagore

5.1 Gwir wybodaeth yw gwybod nad ydym yn gwybod ddim

Socrates

China

5.2 I wybod y ffordd ymlaen holwch y rhai sy'n dod yn ôl

5.3 Twpsyn pum munud yw'r sawl sy'n holi,
twpsyn am byth yw'r sawl nad yw'n holi

5.4 Paid â chyfyngu dy blant i'r hyn a wyddost ti, maen nhw
wedi'u geni i oes arall

5.5   Rwy'n clywed ac yn anghofio,
        rwy'n gweld ac yn cofio,
        rwy'n gwneud ac rwy'n deall

5.6   Athrawon sy'n agor y drws
        ond ti sy'n gorfod camu drwyddo

5.7   Mae'r dyn doeth yn dilyn ei farn bersonol,
        mae'r dyn ffôl yn dilyn y farn gyhoeddus

5.8   Pridd y wadd sy'n achosi dyn i faglu, nid mynyddoedd

5.9   I fwydo dyn am ddiwrnod, rhowch iddo bysgod.
        I fwydo dyn am oes dysgwch iddo bysgota

5.10   Agorwch ffynnon cyn ichi deimlo'n sychedig

Hindŵ

5.11   Mae allwedd fach yn agor drysau mawr

5.12   Ychydig o eiriau sydd eu hangen ar wrandäwr da

Basg

5.13   Addef bai yw hanner ei gywiro

Alban

5.14 I'r sawl sy'n gwylio mae pethau'n datgelu eu hunain

Groeg

5.15 Bai un: gwers arall

Eidal

5.16 Drwy feiau eraill mae'r doeth yn cywiro ei feiau ei hun

Canada

5.17 Na wrthodwch o falchder na derbyn o wendid

Puerto Rica

Iddewig

5.18 Mae pob ateb yn codi cwestiwn newydd

5.19 Gwell gofyn dengwaith na methu unwaith

5.20 Siarad sy'n naturiol ond distewi sy'n ddoeth

5.21 Ceisiwch gyngor ond defnyddiwch synnwyr

5.22 Mae'r ffŵl yn adrodd beth mae'n ei wybod,
mae'r doeth yn gwybod beth mae'n adrodd

5.23 Dylid pwyso geiriau nid eu cyfrif

5.24 Deuparth cywiro cydnabod

Rwsia

Siapan

5.25 Gallwch wybod deg peth drwy ddysgu un

5.26 Doethineb a daioni dwy olwyn yr un cart

5.27 Ond di-rif yw'r rhai na wyddon
Beth yw gwerth, a faint yw digon

5.28 Mae'r dyn doeth yn dysgu wrth gamgymeriadau eraill,
mae'r dyn ffôl yn dysgu wrth ei gamgymeriadau ei hun

Eidal

5.29 Nid yw distawrwydd yn cael ei ysgrifennu i lawr

5.30 Peidiwch â chynnig halen na chyngor nes bod rhywun yn
gofyn amdano

5.31 Ni chollir dim gan gannwyll wrth iddi oleuo cannwyll
arall

5.32 Mae eithriad i bob rheol.

5.33   Byddai hyd yn oed pysgodyn yn ddiogel pe na bai'n agor
        ei geg

Corea

Affrica

5.34   Mae'r sawl sy'n dysgu yn addysgu

5.35   Os wyt ti'n llawn balchder does dim lle i ddoethineb

5.36   Nid yw moroedd tawel yn gwneud morwyr da

5.37   Ailadrodd yw mam pob gwybod

5.38   Siarad llai gwrando mwy

5.39   Mae gwybodaeth fel gardd – heb ei meithrin heb ei medi

5.40   Trech awen na dysg

5.41   Mae ychydig o ddoethineb fel dŵr mewn gwydr, yn glir,
        yn dryloyw yn bur. Mae doethineb mawr fel dŵr y môr,
        yn dywyll, yn ddirgel ac yn annirnad

Rabindranath Tagore

5.42 Optimist yw un sy'n gweld y golau yn wyrdd bob tro; pesimist yw un sydd ond yn gweld y golau'n goch, mae'r doethion yn ddall i liw

Albert Schweizer

5.43 Os cyll dyn ei barch at unrhywbeth byw, mae'n colli'i barch at bopeth byw

Albert Schweizer

5.44 Ffynhonnell gwybodaeth yw profiad

Albert Einstein

5.45 Prawf cymdeithas wâr yw'r byd mae'n ei gadael i'w phlant

Dietrich Bonhoeffer

5.46 Gwerth dy wybodaeth i brynu synnwyr

5.47 Gochel wneud y bwlch yn ddeufwy
Wrth dorri draenen i gau'r adwy

Dic Jones

5.48 Ni wna ei ddawn un yn ddoeth
Na'i anallu'n un annoeth

Tomi Evans

5.49 Nid oes dim yn cadw dynion yn fwy mewn ffolineb na'u
      doethineb eu hun

Rhys Prydderch

5.50 Mae dyn sydd yn gwybod
      Nad yw'n gwybod dim byd
      Yn gwybod mwy
      Na'i athrawon i gyd

Dic Jones

5.51 O synnwyr cyffredin mae'n colegau ni'n llawn,
      A hwnnw'n synnwyr cyffredin iawn

Dic Jones

5.52 Pan feddwn dalent plentyn i weld llais a chlywed llun

Gerallt Lloyd Owen

5.53 Nid oes ateb call i sylw twp.

Tsiecoslofacia

5.54 Does dim ffiniau i ddysg

6. BYW BYWYD

Llun: Waldo Williams

6.1   Beth ond hapchwarae yw byw?

Saunders Lewis

6.2   Rhodd enbyd yw bywyd i bawb

Saunders Lewis

6.3   Beth yw byw? Cael neuadd fawr
Rhwng cyfun furiau

Waldo Williams

6.4   Nid croesi cae yw byw,
Cywir: croesi traeth ydyw.

Gwyn Thomas

6.5   Ond byw pob ennyd o bob dydd
      Yn ffyrnig-lawen, ffyrnig-rydd

John Eilian

6.6   Mae bywyd amserol fel gwennol y gwŷdd

Tomos Glyn Cothi

6.7   Ni waeth pa bennaeth y bôt,
      Âi heibio fywyd hebot

Dic Jones

6.8   Brau yw einioes fel brwynen

Geraint Bowen

6.9   Rhyw grafu ein henwau ar feini:
      ac, o'n myned, fe ddaw glaw ac fe ddaw gwynt
      I'w dileu nhw odd' ar rheini

Gwyn Thomas

6.10 A dysgais fod byw yn benbleth
      I'r sawl a ymdaflo
      I gadw'n genedl y gymdeithas
      Sy'n rhyddhau ac yn rhaflo

J. Eirian Davies

6.11   Os dwy glust
Ac un tafod
Dwbwl yr ust
A hanner y trafod

Dic Jones

6.12   Gofalwch nad yw chwarae'n troi'n chwerw

6.13   Canmolwch yn uchel beiwch yn dawel

Rwsia

6.14   Mae profiad yn gosod yr arholiad gyntaf ac yn dysgu'r wers wedyn

6.15   Brau ei we a byr ei hyd
Yw edafedd rhwng deufyd

Gwilym Fychan

6.16   Henaint, heno:
A beth yn union ydi-o?
Hyn: cosb ydyw
Am ein bod ni Wedi byw.

Gwyn Thomas

6.17   Boddi a wna'r dyn na nofia yn erbyn ffrwd y wlad

Morgan Llwyd

6.18   Oni fedri roi taw ar eraill, distawa dy hun

Morgan Llwyd

6.19   Gwae fi fy myw mewn oes mor ddreng,
       A Duw ar drai ar orwel pell.

Hedd Wyn

7. PROFIAD

Llun: Mark Twain

China

7.1   Nid yw dau ben nodwydd yn finiog

7.2   Ni chabolir carreg heb ei sgathru
       na chymeriad dyn heb ei drallod

7.3   A'm twyllo unwaith, rhag dy gywilydd;
       a'm twyllo eilwaith rhag fy nghywilydd

7.4   Peidiwch ag agor siop os na allwch rannu gwên

7.5   Dim ond un gangen sydd ei hangen ar aderyn i glwydo

7.6   O blannu porfa ni chewch flodau

Malasia

7.7   Blwyddyn o hadau, saith mlynedd o chwyn

7.8   O gyfrif camgymeriadau cyfaill, collir y cyfaill

7.9   Gofalwch rhag syrthio i'r tân wrth osgoi'r mwg

Twrci

7.10   Mae hyd yn oed yr awduron gorau yn gorfod dileu
        weithiau

Sbaen

7.11   Weithiau rhaid distewi er mwyn cael dy glywed

Swistir

7.12   Llawer pregethwr, nid yw'n clywed ei hun

Almaen

7.13   Mewn tymestl mae adnabod llongwr da.

Groeg

7.14   Mae hanner torth yn well na dim

Awstralia

7.15   Mae un waedd amserol yn well na llawer o wag siarad

Mexico

7.16   Mae'r llwybr llyfnaf yn llawn cerrig

Iddew

7.17   Nerth cadwyn ei dolen wanaf

Rwsia

7.18   Mae twll bach yn gallu suddo llong fawr

7.19   Does dim angen cerbyd ar glecs

7.20   Mae dwy ffordd i bob heol

7.21   Ni cheir dim am ddim

Siapan

7.22   Un saeth a dyr yn rhwydd nid felly deg saeth ynghlwm

7.23   Duach cysgod wrth fôn goleudy

7.24   Daw wy crwn yn sgwâr yn ôl eich toriad; mae geiriau'n garedig neu'n gas yn ôl eich dweud

7.25   Mae morgrugyn yn medru dymchwel clawdd

7.26   Tair modfedd yw hyd tafod ond mae'n gallu lladd cewri

7.27   Goddef yr annioddefol yw gwir oddefgarwch

Yr Eidal

7.28   Y gwydriad cyntaf, y dyn yf win;
        yr ail wydriad y gwin yf win,
        y trydydd gwydriad y gwin yf ddyn

7.29   Rhaid wrth wrthwynebydd i gynnal cynnen

7.30   Mae dal dig yn costio'n ddrud

7.31   Nid ei goler sy'n gwneud gweinidog

7.32   Mae angen cof da ar gelwyddgi

7.33   Gwell un diwrnod yn llew na chan niwrnod yn ddafad

7.34   Mae'r sawl sy'n pechu yn ysgrifennu ar dywod, mae'r
        sawl y pechir yn ei erbyn yn cofnodi ar farmor

7.35   Mae distawrwydd yn rhoi hawl.

7.36   Nid y ci sy'n cyfarth sy'n cnoi

7.37   Gwell addewid o un gymwynas na chant o gymwynasau
        blaenorol

Affrica

7.38   Ni all cyllell naddu ei dolen ei hun

7.39   Os wyt ti'n hela dwy sgwarnog wnei di ddim dal yr un

7.40   Mae gair sy'n brathu yn waeth na briw mae briw yn
        gwella

7.41   Ni all y llestr gorau gynhyrchu unrhyw fwyd

7.42   Os dringi di goeden rhaid disgyn hyd yr un goeden

7.43   Paid â dilyn dyn sy'n dianc

7.44   Dim ond ffŵl sy'n defnyddio'i ddwy droed i brofi
        dyfnder afon

7.45   Mae un llinyn yn mygu ond nid yw'n llosgi

7.46   Does dim moddion sy'n gwella casineb

7.47   Nid yw nant yn codi'n uwch na'i tharddiad

7.48   Hawdd ailennyn fflam mewn pren wedi'i losgi

7.49   Nid yw'r un sy'n cael ei gario yn
        gwerthfawrogi pa mor bell yw'r dref

7.50   Nid ar un to yn unig y mae hi'n bwrw glaw

7.51   Mae lludw yn hedfan i wyneb ei daflwr

7.52   Mae un celwydd yn difetha mil o wirioneddau

7.53   Ef a ŵyr feiau arall
        I'w eiddo'i hun sy'n llwyr ddall.

7.54   Nad yw bai yn dod i ben,
        Fe ddeil nes trof y ddalen.

Dic Jones

7.55   Mae dicter yn asid sy'n gwneud mwy o ddrwg i'r llestr
        sy'n ei ddal nag unrhywbeth mae'n cael ei arllwys
        drosto

Mark Twain

7.56 Mae gennyf dant telyn. Mae'n gwbl rydd i symud fel y myn. Ond nid yw'n canu nes cael ei gaethiwo o fewn ffrâm y delyn.

Rabindranath Tagore

7.57 Mae'r ceffyl blaen yn ôl y drefn
A'i din yn nhrwyn yr un tu cefn

Dic Jones

7.58 Os cregyn gwag fydd yn y sach,
Cregyn ddaw allan bobl bach.

Mynyddog

7.59 Gwell wy heddiw na iâr yfory

7.60 Yr oeddwn yn flin bod heb esgidiau, ond cwrddais â dyn heb draed

China

7.61 Os heui ysgall, ni chei wenith

7.62 Llosgi unwaith; cofio canwaith

7.63 Cyfaill pawb: cyfaill neb

7.64 Un llysieuyn diflas sy'n difwyno'r holl botes

7.65   Digon yw ychydig yn rhagor nag sydd gennyt

7.66   A geir yn rhad a gerdd yn rhwydd

7.67   O fyw mewn tŷ gwellt, gofala am dy dân

7.68   A farno a fernir

7.69   Tywysen lawn sy'n gostwng ei phen:
       tywysen wag sy'n sefyll yn syth

7.70   Y mae pawb i bawb sy'n bod
       Yn wahanol, a hynod

Aled Lloyd Davies

7.71   Nid eiddil pob eiddilwch – Tra dyn,
       Nid llychyn pob llwch

Gerallt Lloyd Owen

7.72   Mae un goeden yn gallu gwneud miloedd o fatshys;
       mae un fatshen yn gallu difa miloedd o goed

Albania

7.73   Cos tin taeog, efe a gach yn dy ddwrn

8. AMSER

Llun: Ramakrishna

8.1 Modfedd o aur yw modfedd o amser ond ni ellir prynu
modfedd o amser â modfedd o aur

8.2 Wrth gynllunio am flwyddyn plannwch ŷd,
wrth gynllunio am ddegawd plannwch goed,
wrth gynllunio am oes dysgwch bobl

China

8.3 Gresynu wna henaint yn lle gobeithio

Iddewig

8.4 Os na chymerwch amser i'w wneud yn iawn
rhaid cael amser i'w wneud 'to

Rwsia

8.5   Rhowch amser i amser

Eidal

8.6   Mae amser yn arian

Eidal

8.7   Mae yfory yn perthyn i'r bobl sy'n paratoi ar ei gyfer
       heddiw

Affrica

8.8   Does dim meddyg tebyg i amser

8.9   Gair ac amser ni ddaw eto'n ôl

8.10   Rhag pob clwyf: eli amser

8.11   Amser yw balm oesau'r byd –
       A bai creulonaf bywyd

Dic Jones

8.12   Erioed sydd i un cyfeiriad a Hyd Byth sydd i'r cyfeiriad
       arall, a rhwng y ddau y mae Amser

Selyf Roberts

8.13   Hed amser, meddi. Na! Erys amser; dyn â

8.14   Na ddaw i ni ddoe yn ôl

Twm Prys

8.15   Ni all y clyfraf arafu – ei dymp
        Na'r doeth ei gyflymu

Idris Reynolds

8.16   Mae'r fflam sy'n llosgi amser
        Yn lleihau fel cannwyll wêr

Tudur Dylan Jones

8.17   Byw pob moment sy'n bwysig, dyma sy'n llunio dy
        ddyfodol. Mae'r llwybr yn cael ei greu ar sail patrymau
        dy orffennol

Sai Baba

8.18   Paid â byw yn y gorffennol, paid â breuddwydio am y
        dyfodol canolbwyntia ar y foment hon

Ramakrishna

8.19   Mae'r ffin rhwng y gorffennol, y presennol a'r dyfodol
        yn rhith sy'n mynnu parhau

Einstein

8.20   Mae'r amser yn brin bob amser

Bobi Jones

8.21 Dau derfyn bod a darfod –
      Hoe rhwng doe a'r hyn sy'n dod

Aled Rhys Wiliam

8.22 Bydded, darfydded,
      A bydded eto:
      Dyna ydyw'r cylchdro,
      Dyna ydyw olwyn bodolaeth

Gwyn Thomas

8.23 Byr yw bywyd dyn ar y ddaear; hir yw byth

Morgan Llwyd

8.24 Fel llif mewn afon, ac fel gwynt ar draeth
      Dydd arall o derm f'einioes treiglo wnaeth

John Morris-Jones

8.25 Oriau du â'n ara deg,
      Oriau hudol sy'n rhedeg

D. J. Jones

8.26 Cyson dic-toc y clociau – yn oesol
      Sy'n mesur fy oriau

Dic Goodman

8.27 Y mae ynom bob munud – hen ddoe
      Sy'n heddiw o hyd

Ceri Wyn Jones

8.28   Ni chei'n hawdd wrth edrych 'nôl
Un adwy i'r dyfodol

D. T. Lewis

8.29   Dyddiau a geiriau fel gwynt –
Rhyw ffwdan ar ffo ydynt

Brinley Richards

8.30   Pan fo'r trai yn troi yn llanw
A'r llanw'n troi yn drai
Ys gwn ai tragwyddoldeb
Yw'r eiliad rhwng y ddau

Dic Jones

8.31   Am ddau o ddyddiau ni ofidiaf fi,
Am ddydd i ddyfod, ac am ddydd a aeth

John Morris-Jones

8.32   Cyn camu'n daliedd dros y trothwy
rhwng fory a gynnau, am nawr
oeda ac arhosa i ddisgwyl
anadl gyntaf y wawr

Mererid Hopwood

9. GWEITHREDU

Llun: Jiddu Krishnamurti

China

9.1   Gwell cynnau cannwyll na melltithio'r tywyllwch

9.2   Nid y gwybod sy'n anodd ond y gwneud

9.3   O ymgrymu, ymgrymwch yn isel

Siapan

9.4   Ni ellir croesi afon mewn cwch heb rwyfau

9.5   Daioni yw gwneud nid dweud

9.6   Drwy arfer beunyddiol mae adeiladu cymeriad

Iddew

9.7   Codi'n fore sy'n arbed gweithio'n hwyr

9.8   Hanner llwyddiant – hyder

9.9   Er mwyn gwireddu breuddwyd na chysgwch

9.10   Os gelli – gwna!

Rwsia

9.11   Nid cywely llwyddiant a gorffwys

9.12   Wrth ei weithredoedd y bernir dyn nid wrth ei eiriau

9.13   Edefyn gan bawb rydd grys i dlawd

Yr Eidal

9.14   Trech gwên na thrais

9.15   A ddechreuo llawer a orffen ychydig

9.16   Os na wnei di pan y gelli di, wnei di ddim pan yr hoffet ti

9.17   Treulir llawer pâr o esgidiau rhwng dweud a gwneud

Affrica

9.18   Nid gwaith sy'n lladd ond gofid

9.19   Erbyn nos mae adnabod gweithiwr

9.20   Mae dyn yn gallu bod yr hyn y mae'n ei gredu ei fod,
o weithredu'r hyn mae'n ei gredu

Mahatma Gandhi

9.21   Mae Duw ym mhob man, ond i'w weld yn gliriaf yn nyn
Gwasanaethu dyn yw gwasanaethu Duw.

Ramakrishna

9.22   Arfer yw hanner y gwaith

9.23   Arfer yw mam pob meistrolaeth

9.24   Codi'n fore, hanner gore'r gwaith

9.25   I ddangos cred gweithreda
Ni wêl dyn dy feddwl da

W. Rhys Nicholas

10. MYFI FY HUN

Llun: T. H. Parry-Williams

pigion 2000

T. H. Parry-Williams

'Hanner yn hanner'

10.1 Eich cyfaill gorau a'ch gelyn pennaf – oddi mewn y mae

Yr Alban

Iddew

10.2 Sgwriwch eich stepen eich hun ac mae'r stryd gyfan yn lân

10.3 Os oes angen llaw gynhaliol ceir un ar ben dy fraich

10.4 Nid prydferth prydferthwch ond yr hyn a hoffwch

Siapan

10.5   Wrth ei gyfeillion y mae adnabod dyn

10.6   Nid ydym ond canhwyllau'n llosgi yn y gwynt

10.7   Pe llefwn, pe chwarddwn, yr un yw bywyd

10.8   Pawb at y peth y bo

10.9   Bydd rhywun sy'n ei adnabod ei hun a'i wrthwynebydd
yn anorchfygol

Corea

Affrica

10.10   Mae teulu fel coedwig, o'r tu allan mae'n ddudew
oddi mewn fe welwch fod gan bob coeden ei lle

10.11   Os nad wyt ti'n rhan o'r ateb, rwyt ti'n rhan o'r broblem

10.12   Lle nad oes gelyn y tu mewn ni all elynion allanol eich
niweidio

10.13   Beth ydwyt ti a minnau, frawd,
Ond swp o esgyrn mewn gwisg o gnawd

T. H. Parry Williams

Jiddu Krishnamurti

10.14 Os dechreui di ddeall yr hyn wyt ti, heb geisio'i newid,
mae'r hyn wyt ti yn cael ei weddnewid

10.15 Mae'r darlun sydd gennyf ohonof fy hunan
yw'r ffordd rwy'n dianc o'r hyn ydwyf.

10.16 Yr hyn wyt ti yw hyn yw'r byd;
heb i ti newid ni fydd y byd yn newid

Mahatma Gandhi

10.17 Y ffordd orau i ganfod eich hun yw trwy golli eich hun
mewn gwasanaeth i eraill

10.18 Ni all neb mynd â'n hunan-barch oni bai i ni ei gyflwyno
iddo

10.19 Gelli di chwilio'r bydysawd am yr un sy'n haeddu dy
gariad a'th hoffter yn fwy na thi, a methu ei ffindio.
Nid oes neb yn yn haeddu dy gariad a'th hoffter yn fwy
na thi dy hun

Buddha

10.20 Problem pobl eraill yw eu barn amdanat ti, nid dy
broblem di

Elisabeth Kubler-Ross

10.21 Mae popeth sy'n ein cythruddo am bobl eraill, yn ffordd
i ni ddeall mwy amdanom ni ein hunain.

Carl Jung

Lao Tzu

10.22 Adnabod eraill yw doethineb, adnabod dy hunan yw deall

10.23 Pan ollyngaf yr hyn wyf rwy'n dechrau bod yr hyn byddwyf

10.24 Gwyddom yr hyn ydym ond ni wyddwn yr hyn y byddom

Shakespeare

10.25 Wrth ei ffrwythau mae adnabod dyn

10.26 Mae'n faich o warth
Ac mae'n nef o chwerthin
O fewn fy rhiniog
Rwyf finnau'n frenin

Dic Jones

10.27 Ni chefais win cyforiog unrhyw ddawn,
Dim ond rhyw joch o gwpan hanner llawn

T. H. Parry Williams

10.28 Gwnes addunedau fil i gadw'r llwybyr cul ond methu rwy'

Morgan Rhys

10.29 Dyn yw dyn, ar bum cyfandir,
Dyn yw dyn, o oes i oes

Elfed

10.30 Rhyfeddol fod,
a'i lond o ddirgel nerth yw Dyn,
Meistr ar bopeth ond
Efe ei hun

Sarnicol

10.31 Tybed fy mod i. O Fi fy Hun,
Yn myned yn iau, wrth fyned yn hŷn

T. H. Parry Williams

10.32 Y gwaelaf o bob gelyn –
Y mwyaf oll – mi fy hun

Roger Jones

10.33 Peth arswydus i bob un
Yw ei wynebu ef ei hun.

Gwyn Thomas

10.34 Yn ôl tystiolaeth yr oesau
Ni all unrhyw wyrth ein newid,
Ein diddyfnu Ni o greulonderau:
Ni newidir Ni

Gwyn Thomas

10.35   Nid wyf ond ysbaid o wêr,
        Nid wyf ond ennyd ofer

Gerallt Lloyd Owen

10.36   Ofnadwy a rhyfedd y'm gwnaed

Beibl

10.37   Wyf y sant tyneraf sy,
        Ond wyf Herod yfory

Gerallt Lloyd Owen

10.38   Teganau yn unig sydd gennyf,
        bric brac ein byw brau

Dafydd Rowlands

11. DEDWYDDWCH

Llun: Albert Schweizer

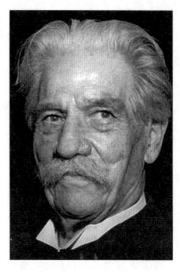

11.1   Hapusrwydd awr – cyntun
Hapusrwydd mis – priodas
Hapusrwydd blwyddyn – cyfoeth
Hapusrwydd oes – helpwch rywun arall

China

11.2   Chwerthin yw moddion gorau afiechydon fil

11.3   Mae ceiniogwerth o chwerthin
Yn well na seler o win

Gareth Owen

11.4   Gwir gyfoeth yw mwynhau'r hyn sydd gennych

Iddew

11.5   Llwyddiant yw cael yr hyn yr ydych chi ei eisiau.
        Dedwyddwch yw eisiau yr hyn yr ydych chi'n ei gael.

11.6   Y ffordd orau i fod yn hapus yw trwy wneud rhywun arall
        yn hapus

Mark Twain

11.7   Peth syml yw bod yn hapus, peth anodd yw bod yn syml

Rabindranath Tagore

11.8   Os wyt ti'n wylo oherwydd bod yr haul wedi mynd o'ch
        bywyd, mae dy ddagrau yn dy ddallu rhag gweld y sêr

Rabindranath Tagore

11.9   Mae fflam un gannwyll yn gallu cynnau mil o ganhwyllau
        heb leihau dim arni – felly hefyd hapusrwydd

Mahatma Gandhi

11.10   Os wy ti'n dymuno bod eraill yn hapus bydd yn drugarog;
        os wyt ti eisiau bod yn hapus, bydd yn drugarog

Dalai Lama

11.11   Nid llwyddiant yw allwedd hapusrwydd, hapusrwydd yw
        allwedd lwyddiant. Os wyt ti'n caru'r hyn yr wyt yn ei
        wneud fe fyddi di'n llwyddiannus

Albert Schweizer

11.12 Y cyfan sydd ei angen i fod yn hapus yw iechyd da a chof gwael

Albert Schweizer

11.13 Dedwydd pob anwybod

11.14 Diwyd fel i fyw byth,
dedwydd fel i farw fory

11.15 Dedwydd yw dynion didwyll,
Digalon dynion o dwyll

Donald Evans

11.16 Bydd lawen yn dy fywyd, na fydd brudd
A meithrin farn yn lle'r ffolineb sydd

John Morris-Jones

11.17 Byddwch lawen
A chedwch y ffydd a gwnewch y pethau bychain
A welsoch ac a glywsoch gennyf i

Dewi Sant

11.18 Pabell unnos ydyw pob llawenydd

Dic Jones

11.19 Rho im yr hedd na ŵyr y byd amdano

Elfed

12. CYFOETH

Llun: Gerallt Lloyd Owen

12.1 Allwedd arian sy'n agor pob clo

12.2 Mam y drwg yw'r arian

12.3 Mae arian yn was da ond yn feistr drwg

12.4 Llysywen mewn llaw yw arian

12.5 Ba ŵr sy lle bo arian
    A geir heb newid ei gân

Trebor Roberts

12.6 Fe â bywyd yn anniben
      Pan fo chwant yn fwy nag angen

Idwal Lloyd

12.7 Oni ddewisi fyw'n ddoeth
      Ofer yw byd o gyfoeth

Nia Powell

12.8 Weithiau bwrn yw cyfoeth byd:
      Daw galar gyda golud

W. Leslie Richards

12.9 Hel a hel wna rhai o hyd,
      Gwely di-gwsg yw golud

Richard Lloyd Jones

12.10 Nid cyfoeth yw byd moethus,
      Nid pleser yw llawnder llys

D. J. Thomas

12.11 A fo ddigywilydd, a fo'n ddigolled

Iddew

12.12 Gwell ceiniog gyson na phunt ysbeidiol

12.13 Cadw ceiniog yw ennill ceiniog

12.14   Nid yw aur yn rhydu

12.15   Mae llathen o gownter yn well nag acer o dir

12.16   Y rhai sy wedi'u geni'n dlawd sy'n gweld drwg mewn cyfoeth.

Islwyn Ffowc Elis

12.17   Elw ni ŵyr gywilydd

Dic Jones

13. AWEN

Llun: Dic Jones

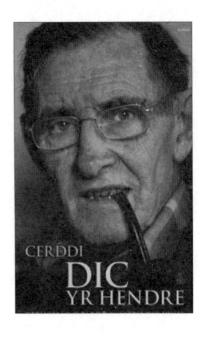

13.1   Hel â rhaw y glaw a'r gwlith
         Yw rheoli athrylith

Huw Meirion Edwards

13.2   Uno sain gyda synnwyr

Tudur Dylan Jones

13.3   Tad a Mab
         Hen reffynnau'r gorffennol
         Sy'n dal ein hardal yn ôl
         Dwy awen nad yw'n deall
         Y naill un felystra'r llall

Dic Jones

13.4   Y gân sy'n ein gwahanu
         A'r gitâr sy'n rhwygo'r tŷ

Dic Jones

13.5   Er ei boen, er ei benyd
         A gano fawl, gwyn ei fyd

Iorwerth H. Lloyd

13.6   Fe roddwyd y wefr iddo, – dieithr hud
         A thrydan y cyffro

Iolo Wyn Williams

13.7   Un a wêl y manylyn, – un am weld
         yn y mynd diderfyn

Tîm Talwrn Y Sgwod

13.8   Ac o'i enaid, egino – a wnaeth
         hadau'i eiriau o

Tudur Dylan Jones

13.9   Tra bo dydd, bydd trwbdŵr

Tudur Dylan Jones

13.10   Barddoni ydi
         Bod mewn cors hyd at eich gwddw
         Yno'n suddo, yno'n geirio,
         A neb o gwbwl yn gwrando

Gwyn Thomas

13.11   Tarian y gwâr yw trin geiriau, – rhoi llais,
        Rhoi lliw i'n heneidiau . . .
        A chwerthin prin i'n parhau

Robin Llwyd ab Owain

13.12   Crefftwaith sy'n gampwaith i gyd, – weithiau'n lleddf
        Weithiau'n llon ei ysbryd

Mynytho

13.13   Geiriau'n hiaith mewn deigryn hen,
        Gwewyr sy'n hŷn nag awen

Tudur Dylan Jones

13.14   Mudodd, ond heb ymadael:
        Y mae'r gân yma ar gael

Myrddin ap Dafydd

13.15   Mae gwaith celfydd yn cuddio'i gyfrinach

13.16   Mae ystyr yn ymestyn
        I roi mwy i'r rhai a'i mynn

John Rhys Evans

13.17   Boed i'th gerddi adael y tir a arddwyd gan dy dadau a
        throi'n flodau gwyllt yn y coed

Myrddin ap Dafydd

13.18   Clindarddach drain dan grochan yw
plethiad geiriau heb synnwyr o bwys

Saunders Lewis

13.19   A dau raid ei chryfder hi
Yw dileit a dal ati

Dic Jones

13.20   Ni wnaed cerdd ond er melyster i'r glust, ac o'r glust i'r
galon

Simwnt Fychan

13.21   Chwilio am air a chael mwy

Islwyn

13.22   Yn enaid yr awenydd – ei geiriau
Fel dau gariad newydd . . .
Yn galw ar ei gilydd

Dic Jones

13.23   Yn y darn rhwng gwyn a du
Mae egin pob dychmygu

13.24   I'r ychydig unigryw – ordeiniwyd
Gorau dawn dynolryw
I wneud yr hyn nad ydyw

Dic Jones

13.25 Run yw'r creu yn roc-a-rôl,
       Mae'r ias yr un mor oesol

Ceri Wyn Jones

13.26 Gwŷr o athrylith; ond gyda bodau o'r fath
       Nid yw mesur eu llathen hwy yr un hyd â llath

T. H. Parry-Williams

13.27 Ynom mae y sêr! A phob barddoniaeth

Islwyn

14. BAI

Llun: Albert Einstein

14.1 Ef a ŵyr feiau arall
I'w eiddo'i hun sy'n llwyr ddall.

Idwal Lloyd

14.2 Nad yw bai yn dod i ben,
Fe ddeil nes trof y ddalen

Dic Jones

14.3 Mwya'i fai sy'n rhoi bai ar arall

14.4 Gofalwch nad wyt ti'n gwneud yr hyn rwyt ti'n ei
gondemnio yn eraill

14.5 Nid oes dim yn gwneuthur pobl mor anghyfiawn â'u
cyfiawnderau eu hunain

Rhys Prydderch

14.6 Ceir y farn drymaf arnom
Gyda'r dyn a gwyd o'r dom

Idwal Lloyd

14.7 Hawdd gan y galon faddau,
Y co' o hyd sy'n nacáu

Dic Jones

15. FFYDD

Llun: Dalai Lama

Jiddu Krishnamurti

15.1   Mae datganiadau parhaus o ffydd yn fynegiant o ofn

15.2   Crefydd yw meddyliau wedi'u hymgaregu a ddefnyddir i godi temlau

15.3   Dros y canrifoedd, temlau ffydd sydd wedi cysgodi casineb ac anoddefgarwch Mae'r hyn sydd i ryddhau dynion yn troi'n gadwynau, yr hyn sydd i uno dynion yn troi'n gleddyfau a'r hyn sy'n mynegi cariad yn troi'n garchar. Wrth geisio croesi afon mewn cwch llawn tyllau – pwy sy'n cael y bai

Rabindranath Tagore

15.4   Nid oes gan Duw grefydd

Mahatma Gandhi

15.5   Crefydd syml yw fy nghrefydd i – Caredigrwydd

Dalai Lama

15.6   Mae pob crefydd yn gallu arwain at Dduw –boed yn risiau cerrig, rhaff ddringo, polyn bambŵ

Sai Baba

15.7   Fel nad yw cannwyll yn gallu llosgi heb fflam, nid yw dyn yn gallu byw heb fywyd ysbrydol

Meister Eckhart

15.8   Mae diwinyddion yn dadlau mae cyfrinwyr yn gytûn

15.9   Nid yw Duw yn dda, neu fe ddylai fod yn well

15.10   Os 'Diolch' yw dy unig weddi, mae'n ddigon

15.11   Brwydr yw bywyd rhwng ffydd a rheswm gyda'r naill yn cynnal y llall ac yna'n ei ddistrywio

Niebuhr

15.12   Nid gwrthwyneb ffydd yw amheuaeth, mae'n rhan o
        ffydd

Paul Tillich

15.13   A mi unwaith mewn cwm unig . . .
        Y daeth i amheuwr dig eiliadau'r Anweledig

Vernon Jones

15.14   Gan bwy, ac i ba ddiben, a pha bryd
        Y dodwyd yn ein henaid hedyn Cred?

Dic Jones

15.15   Ffydd yw sicrwydd y pethau ni welir

Saunders Lewis

15.16   Y mae ffydd heddiw'n ofergoel yfory ac yn chwedloniaeth
        y dydd wedyn

D. J. Williams

15.17   Beth yw Gobaith? Y gwybod –
        O dan y bai – fod da'n bod.

T. Llew Jones

15.18   I ddyn ar derfyn ei daith
        Da yw gwybod bod gobaith

Iorwerth H. Lloyd

15.19   Fel y gân yn y galon ar droad y rhod,
        Ni wyddom beth ydyw, dim ond gwybod ei fod.

Dic Jones

15.20   Rwy'n gweld yr enfys drwy y glaw.

16. CARIAD

Llun: Iesu Grist

Rabindranath Tagore

16.1   Ni ellir rhoi cariad, rhaid i gariad gael ei dderbyn

16.2   Mae cariad yn ddirgelwch diderfyn
        oherwydd nid oes dim sy'n ei egluro

16.3   Y dydd y bydd grym cariad yn drech na chariad at rym
        yw'r dydd y daw heddwch i'n byd

Mahatma Gandhi

Dalai Lama

16.4 Mae cariad a thrugaredd yn hanfodion hebddynt nid yw
dynolryw yn mynd i oroesi

16.5 Mae cariad yn heintus ac yn iacháu

16.6 Nid yw casineb yn gallu trechu casineb, dim ond cariad
sy'n gallu gwneud hyn; dyna ddeddf oesol

Buddha

16.7 Pris caru yw galaru

Thomas Acquinas

16.8 Wrth yr hyn y mae'n ei garu y mae adnabod dyn

16.9 Mae cariad yn dechrau lle mae gwybodaeth yn gorffen

16.10 Nes bod dynion yn estyn cylch eu trugaredd i gynnwys
popeth byw, ni cheir heddwch yn y byd

Albert Schweizer

16.11 Dyletswydd cyntaf cariad yw gwrando

Paul Tillich

16.12 Un ydym, un yw'n bydoedd, – un teulu
Gwiw yn anadlu yw'r holl genhedloedd

Robin Llwyd ab Owain

16.13 Cariad sy'n gorchfygu bopeth

16.14 Mae rhin mewn cariad,
cryfach yw nag Angau,
Digon yw cariad
pa beth bynnag ddêl

Cynan

16.15 Nid yw cariad yn gwybod sut i feio,
nid yw casineb yn gwybod sut i ganmol

16.16 Mae caredigrwydd yn iaith y mae'r byddar yn gallu'i
chlywed a'r dall yn gallu'i gweld

Mark Twain

16.17 Duw, cariad yw

17. DIWEDD

Llun: Saunders Lewis

17.1   Pan syrth y dail fe'u dychwel i'w gwreiddiau

China

17.2   Llond capel o dawelwch
        O barch i lond arch o lwch

Dic Jones

17.3   Dyn nid yw'n bod ond unwaith
        A bedd yw diwedd y daith

Moses Glyn Jones

17.4   Ond, byddarol fudandod – yr eco
        o beidio â bod

Tîm Aberhafren

17.5   Mae pob dyn,
        mae pob enaid byw sydd yn bod
        Wedi'i bennu – rhag ei waethaf –
        i ddarfod

Gwyn Thomas

17.6   Y bedd yw diwedd y dyn.

Ieuan Brydydd Hir

17.7   Mae'n brofiad i bawb na ŵyr neb arall amdano.
        Pob un ar ei ben ei hun yn ei ddull ei hun
        Piau ei farw ei hun

Saunders Lewis

17.8   Marwolaeth nid yw'n marw.
        Hyn sydd wae

R. Williams Parry

17.9   Myned sydd raid i minnau – drwy wendid
        I'r undaith â'm tadau

Robert ab Gwilym Ddu

17.10   Daeth awr i fynd i'th weryd,
        A daeth i ben deithio byd.

R. Williams Parry

17.11   Melys hedd wedi aml siom
        Distawrwydd wedi storom

Dewi Emrys

17.12 Angerdd pob fflam, a thân pob nwyd,
      A dry'n ei dro yn lludw llwyd.

I. D. Hooson

17.13 Daw i ben ein bywyd byr
      Mor ddistaw – mor ddiystyr

Alan Llwyd

17.14 Ein ber oes sydd yn llestr brau
      Wrth angor ar draeth angau

R. O. Williams

17.15 Mae 'nghyfeillion adre'n myned
      O fy mlaen, o un i un

Ieuan Glan Geirionydd

17.16 Duw biau edau bywyd
      A'r hawl i fesur ei hyd.

Daniel Ddu o Geredigion

17.17 Un weddi sy'n aros i bawb,
      Mynd yn fud at y mud.

Saunders Lewis

17.18 Nid diffodd y goleuni y mae marwolaeth
      Ond diffodd cannwyll ar doriad gwawr

Rabindranath Tagore

17.19 Diau pe gwelem y diwedd, dychryn y dechrau a giliai

Mynegai Testunol

addef	Addef bai yw hanner ei gywiro	5.13
adnabod	Bydd rhywun sy'n ei adnabod ei hun a'i	
	wrthwynebydd yn anorchfygol	10.9
amser	Amser yw balm oesau'r byd –/A bai creulonaf	
	bywyd	8.11
anwybodus	Anwybodus yw'r dyn sy'n gwybod popeth	2.3
arfer	Arfer yw hanner y gwaith	9.22
	Arfer yw mam pob meistrolaeth	9.23
arian	Allwedd yw arian sy'n agor pob clo	12.1
	Arian – gwas da, meistr drwg	12.3
	Ba ŵr sy lle bo arian/ A geir heb newid ei gân	12.5
athro	Athrawon sy'n agor y drws ond ti sy'n gorfod	
	camu drwyddo	5.6
awen	A dau raid ei chryfder hi/ Yw dileit a dal ati	13.19
bai	Bai un: gwers arall	5.15
barddoni	Barddoni ydi/ Bod mewn cors hyd at eich	
	gwddw/ Yno'n suddo, yno'n geirio,/ A neb o	
	gwbwl yn gwrando.	13.10
barnu	A farno a fernir	7.68
	Ar ddiwedd y mae barnu	2.21
bodolaeth	Bydded, darfydded,/ A bydded eto:/ Dyna	
	ydyw'r cylchdro,/ Dyna ydyw olwyn bodolaeth.	8.22
breuddwyd gwrach	Breuddwyd gwrach yw gweledigaeth	
	heb weithredu; hunllef yw gweithredu	
	heb weledigaeth	2.2
brwynen	Brau yw einioes fel brwynen	6.8
byw	A dysgais fod byw yn benbleth/ I'r sawl a	
	ymdaflo/ I gadw'n genedl y gymdeithas/	
	Sy'n rhyddhau ac yn rhaflo.	6.10
canhwyllau	Nid ydym ond canhwyllau'n llosgi yn y gwynt	10.6

ceg	Byddai hyd yn oed pysgodyn yn ddiogel pe na bai'n agor ei geg	5.33
celwydd	A glywo dwyll, gwylied o,/ Drwg celwydd ydyw'r coelio	4.19
chwyn	Blwyddyn o hadau, saith mlynedd o chwyn	7.7
cyngor	A thrysor yw cyngor call,/Rhan o aur rhywun arall	3.26
deallusrwydd	Arsylwi heb arfarnu yw deallusrwydd pur	2.12
dechrau	A ddechreuo lawer a orffen ychydig	9.15
digywilydd	A fo ddigywilydd, a fo'n ddigolled	12.11
dileit	A dau raid ei chryfder hi/ Yw dileit a dal ati	13.19
distawrwydd	Am yr hyn na fedrir dweud dim amdano, bydded distawrwydd.	5.57
doeth	Mae'r ffŵl yn adrodd beth mae'n ei wybod, mae'r doeth yn gwybod beth mae'n adrodd	5.22
	Buan y denir annoeth,/ Yn ara' deg y daw'r doeth.	3.18
dyddiau	Am ddau o ddyddiau ni ofidiaf fi,/ Am ddydd i ddyfod, ac am ddydd a aeth	8.31
edafedd	Brau ei we a byr ei hyd/ Yw edafedd rhwng deufyd	6.15
esgyrn	Beth ydwyt ti a minnau, frawd,/ Ond swp o esgyrn mewn gwisg o gnawd	10.13
ffrwd y wlad	Boddi a wna'r dyn na nofia yn erbyn ffrwd y wlad	6.17
ffŵl	Mae'r ffŵl yn adrodd beth mae'n ei wybod, mae'r doeth yn gwybod beth mae'n adrodd	5.22
geiriau	Ac o'i enaid, egino – a wnaeth/ hadau'i eiriau o	13.8
gobaith	Beth yw Gobaith? Y gwybod – O dan y bai – fod da'n bod.	15.17
gwers	Bai un: gwers arall	5.15
gwybod	Ailadrodd yw mam pob gwybod	5.37
hapchwarae	Beth ond hapchwarae yw byw?	6.1
igam-ogam	Agor yn igam-ogam/ A bydd pob cwys yn gŵys gam.	3.15
llawen	Bydd lawen yn dy fywyd, na fydd brudd/ A meithrin farn yn lle'r ffolineb sydd	11.16

lludw	Angerdd pob fflam, a thân pob nwyd,/	
	A dry'n ei dro yn lludw llwyd.	17.12
mawr	Bach pob dyn sy'n tybio'i hun yn fawr	4.9
neuadd	Beth yw byw? Cael neuadd fawr/Rhwng cyfyng	
	furiau	6.3
rhad	A geir yn rhad a gerdd yn rhwydd	7.66
tin gwybedyn	Araf deg a mesul dipyn/ Mae stwffio bys	
	i din gwybedyn	3.19
twyllo	A'm twyllo unwaith, rhag ei gywilydd;	
	a'm twyllo eilwaith rhag fy nghywilydd	7.3
ysgub	Amlaf ei gŵys, amlaf ei ysgub	3.16